André-Philippe Côté

Tous Fous

Le docteur Smog craque !

Coloration et mise en place des décors : GAG (André Gagnon)

© 2006 Steinkis – Casterman

ISBN : 2-874-42218-5
© 2006 Steinkis – Casterman

Première édition – Février 2006
Imprimé en France par PPO Graphic, Pantin. Dépôt légal : février 2006 ; D.2006/0053/158

QUAND ON S'EST CONNUS, ON FAISAIT L'AMOUR TOUS LES JOURS...

MAINTENANT, C'EST LA ROUTINE TOUJOURS LA ROUTINE, RIEN QUE LA ROUTINE !!!

HUM... HUM... JE VOIS... IL MANQUE DE LA PASSION DANS VOTRE COUPLE.

JE CROIS QUE MON MARI EST UN PASSIONNÉ DE LA ROUTINE !

Ma mère veille

Ovni soit qui mal y pense

Santez-vous bien

Malade imaginaire

Le sot fat

VOUS POUVEZ CONSULTER UN AUTRE PSY SI VOUS N'ÊTES PAS SATISFAIT DE MES SERVICES !

VOUS POUVEZ CONSULTER UN AUTRE PSY SI VOUS N'ÊTES PAS SATISFAIT DE MES SERVICES !

VOUS POUVEZ CONSULTER UN AUTRE PSY SI VOUS N'ÊTES PAS SATISFAIT DE MES SERVICES !

ARRANGEZ-VOUS AVEC MA SECRÉTAIRE SI VOUS N'ÊTES PAS SATISFAIT DE MES SERVICES !

Psy-réalité

TIENS, VOUS CHARGEZ LE MÊME PRIX QUE MADAME CLAUDE !

Madame Propre

Œil pour œil

Beethoven boomerang

Baise main

À mère tume

Sage dosage

Régime minceur

Carottes râpées

Réponse cinglante

Sommeil paradoxal

QU'EST-CE QU'ON FÊTE ?

ÇA FAIT DIX ANS QUE JE SUIS EN THÉRAPIE...

ET JE SUIS TOUJOURS AUSSI NÉVROSÉE !!!

J'ESPÈRE QUE VOUS L'AIMEREZ !

Guerre de trois

Le monde à l'envers

SI J'AVAIS UN ACCIDENT, JE NE SERAIS PAS OBLIGÉE D'ALLER À MON RENDEZ-VOUS AVEC LE DOCTEUR SMOG !

SI JE ME JETAIS EN BAS DU PONT, JE NE SERAIS PAS OBLIGÉE D'ALLER À MON RENDEZ-VOUS AVEC LE DOCTEUR SMOG !

SI J'AVALAIS MON CELLULAIRE, JE NE SERAIS PAS OBLIGÉE D'ALLER À MON RENDEZ-VOUS AVEC LE DOCTEUR SMOG !

LE DOCTEUR SMOG N'EST PAS LÀ ?

NON, IL A EU UN ACCIDENT, IL EST TOMBÉ EN BAS D'UN PONT ET IL A AVALÉ SON CELLULAIRE !!!

Appel à l'aide

Doublé

Névrose normale